Emmanuel Guibert Joann Sfar

LES OLIVES NOIRES

3

Tu ne mangeras pas le chevreau dans le lait de sa mère

couleurs :
Walter

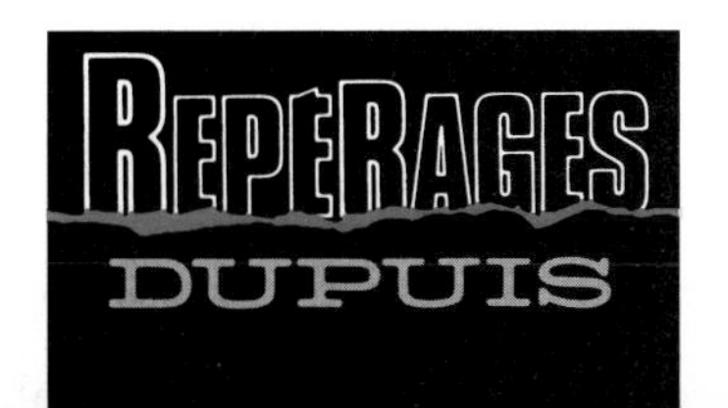

Dépôt légal : janvier 2003 — D. 2003/0089/43
ISBN 2-8001-3378-3

Imprimé en Belgique par Proost/Fleurus.

OÙ TU M'AS EMMENÉ ? C'EST PAS JÉRUSALEM, ICI.
C'EST LA BANLIEUE. C'EST BIEN DE TRAÎNER ICI POUR AVOIR DES INFORMATIONS SUR TON PÈRE.

NON. MON PÈRE, IL EST DANS LA VILLE. DANS LES MURS.
JE NE PEUX PAS T'Y EMMENER.
PEUREUX.

RIEN À VOIR. LES ROMAINS ONT INSTALLÉ DES IDOLES AUX PORTES DE LA VILLE. QUICONQUE FRANCHIT LES REMPARTS DEVIENT UN IDOLÂTRE.
PEUREUX.

JE N'AI PLUS CONFIANCE EN TOI.
ÇA, C'EST LA MEILLEURE ! TU TE PLAINS DE MOI, ALORS QUE C'EST TOI QUI N'ES PAS À LA HAUTEUR.

TU VEUX SAVOIR LA VÉRITÉ ? ON NE VA PAS DANS LES REMPARTS PARCE QUE TU ES TROP PETIT. SI NOUS TOMBIONS DANS UN COUP FOURRÉ, TU NE SAURAIS PAS T'EN TIRER.
JE SAURAIS.

PEUH ! TU N'AS JAMAIS TUÉ PERSONNE.
FAIS VOIR UN ROMAIN, JE LE TUE.
93

BOUGEZ-VOUS UN PEU LE CUL, OUI !
LÀ, UN ROMAIN QUI FAIT TRAVAILLER DES GENS DE NOTRE PEUPLE. VAS-Y.

COMMENT JE FAIS LA BOUFFE, SI VOUS LIVREZ TOUJOURS APRÈS VOTRE BORDEL DE PRIÈRE DU MATIN ? LE MOUTON, ÇA MIJOTE, QUOI !

HÉ !
?

ÇA VA PAS, NON ?
LÂCHE-MOI, MON FRÈRE !

CE ROMAIN TE FAIT TRAVAILLER DE FORCE. IL FAUT LE TUER.
QUEL ROMAIN ?
LUI.

LUI, C'EST MOSHÉ BEN ZIMRA, LE CUISINIER. IL EST JUIF.
C'EST QUOI, CE PÈTE-COUILLES ?
FAUT LUI PRENDRE SON COUTEAU, IL VA FINIR PAR BLESSER QUELQU'UN.
94

N'APPROCHEZ PAS !
DONNE ÇA OU JE T'EN COLLE UNE !

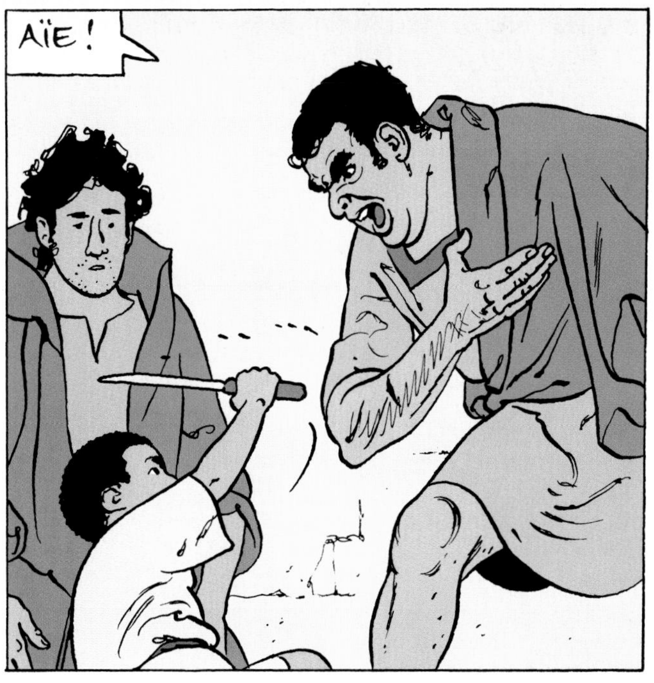
AÏE !

HOU, TU VAS DÉROUILLER, TOI.
CLAC !

ALLEZ. ON N'A PAS QUE ÇA À FOUTRE.

CE COUTEAU, C'ÉTAIT CELUI DE MON GRAND-PÈRE QUI FUT UN GUERRIER ET UN RABBIN. ET TU LES AS LAISSÉS LE PRENDRE. JE NE PEUX PAS COMPTER SUR TOI.
TU M'AS DIT QUE C'ÉTAIT UN ROMAIN ALORS QU'IL EST JUIF ET QU'IL EST COPAIN AVEC LES AUTRES. MOI NON PLUS, JE NE PEUX PAS COMPTER SUR TOI.

LUI, JUIF, TU PARLES ! ON AURAIT DÛ LES TUER TOUS LES TROIS.
ON LES SUIT ET ON LES TUE.
D'ACCORD.
ET ON REPREND LE COUTEAU.
95

ILS ENTRENT LÀ.
C'EST UN PALAIS.

ON VA DEVOIR ATTENDRE QU'ILS EN RESSORTENT. IL Y A DES STATUES DE PART ET D'AUTRE DES PORTES. TOUS CEUX QUI ENTRENT LÀ SONT DES IDOLÂTRES.
TU AS PEUR DES GARDES, OUI !
OUI.

ÉVIDEMMENT QUE J'AI PEUR DES GARDES. ILS SONT PLEIN, LÀ-DEDANS. C'EST COMPLÈTEMENT IMBÉCILE D'ALLER SE FOURRER DANS LA GUEULE DU LOUP.
MOI, JE SUIS IMBÉCILE.

OÙ TU VAS, TOI ?
VOIR MON PAPA.
C'EST QUI, TON PAPA ?
LAISSE, C'EST UN GOSSE.

ET L'AUTRE, LÀ-BAS, QU'EST-CE QU'IL MANIGANCE, PLANQUÉ DERRIÈRE SON ARBRE ? HÉ, TOI, VIENS UN PEU ICI !
QU'EST-CE QUE TU FOUS LÀ, TU ESPIONNES ?

PAS DU TOUT, JE FAISAIS LA CÉRÉMONIE DE L'HOMMAGE AUX CYPRÈS. C'EST UNE PRIÈRE QUE LES JUIFS DOIVENT FAIRE EN SE FROTTANT LES GENOUX CONTRE L'ÉCORCE D'UN ARBRE.
ET T'AS FINI ?
OUI.
BON. BIN, CASSE-TOI.
96

TU FAIS DES SCULPTURES ?
NON. JE LES DÉTRUIS.
JE SUIS JARDINIER.

LE PRÉFET ÉMILE S'EST FAIT LIRE DES TEXTES D'UN GREC, LA SEMAINE DERNIÈRE.
LES GRECS SONT CONTRE LES STATUES ?
JE NE SAIS PAS.

MOI, ON ME DIT QUE SI LES ARBRES ONT DES TÊTES D'ANIMAUX, C'EST MAL. ON ME DIT DE LEUR RENDRE LEUR ASPECT D'ARBRE NATUREL. ALORS, JE LES RESCULPTE.

MAIS C'EST DU BOULOT, TU SAIS, POUR QU'ILS AIENT L'AIR NORMAL. TIENS, C'EST MÊME PLUS DIFFICILE DE TRANSFORMER UN ARBRE SCULPTÉ EN ARBRE NORMAL QUE L'INVERSE.

JE CROYAIS QUE JARDINIER, C'ÉTAIT JUSTE FAIRE POUSSER LES PLANTES.
AH NON, NON, NON.
PAS DU TOUT.
JE CHERCHE LE CUISINIER.

VA VOIR DANS LES CUISINES. HA! HA!
C'EST OÙ ?
SUIS LES BONNES ODEURS.
97

JE SENS RIEN, COMME ODEUR, SALOMON. TU SENS QUELQUE CHOSE, TOI ? NON, HEIN ? EST-CE QU'IL SAIT MÊME OÙ C'EST, CE JARDINIER ?
TIENS...

D'OÙ VIENT CE PETIT HOMME ? APPROCHEZ, MONSIEUR.

JE CHERCHE LA CUISINE.
LA CUISINE ? VOTRE MAMAN NE VOUS DONNE-T-ELLE RIEN À MANGER ? QUI ÊTES-VOUS ?

C'EST POUR VOIR LE CUISINIER, MADAME.
MOSHÉ ? S'AGIT-IL DE VOTRE PAPA ?
...OUI
QU'EST-CE QUE C'EST QUE CE PETIT OUI ? C'EST VOTRE PAPA, OUI OU NON ?

OUI OUI
JE SUIS UNE GRANDE MENTEUSE ET JE RECONNAIS TRÈS BIEN LES MENTEURS. ALORS, TU ES LE FILS DU CUISINIER OU PAS ?
...
ÇA, ÇA VEUT DIRE NON.

IL A VOLÉ MON COUTEAU, IL DOIT ME LE RENDRE.
AH, OUI ?
98

D'OÙ TU VIENS ?
JE ME SUIS RÉVEILLÉ TÔT. J'AI FAIT UN TOUR.
MENTEUR ! T'AS DÉCOUCHÉ, OUI !

VOUS ÊTES PRÊTS ?
OUI.
VOS ÉPÉES, ÇA SUFFIT PAS. IL FAUT DES LANCES, AUSSI.

DES LANCES COMME LES NÔTRES ATTIRERONT MOINS L'ATTENTION. VOUS NE DEVEZ SURTOUT PAS AVOIR L'AIR DE COMBATTANTS.
JE COMPRENDS PAS. ON DOIT MONTER LA GARDE OU ALLER AUX CHAMPIGNONS ?

MON COPAIN DEMANDE EN QUOI CONSISTE NOTRE BOULOT.
BON. ON SURVEILLE CETTE ROUTE, MAIS PERSONNE NE DOIT SAVOIR QU'ON SURVEILLE CETTE ROUTE.

ALORS VOUS DEVEZ RESTER PAR LÀ, L'AIR DE RIEN. ET TOUT CE QUI PASSE, DANS UN SENS OU DANS L'AUTRE, VOUS NOTEZ. SI C'EST DES ROMAINS, L'UN DE VOUS VIENT NOUS AVERTIR ET L'AUTRE RESTE LÀ.

ET SI QUICONQUE S'ÉLOIGNE DE LA ROUTE POUR SE DIRIGER VERS NOTRE CAMP, PAREIL : L'UN RESTE POUR LE TUER ET L'AUTRE VIENT NOUS PRÉVENIR.
ATTENDS, ATTENDS, ET S'IL Y A PAR EXEMPLE DEUX TYPES, IL VAUT MIEUX PAS QU'ON RESTE À DEUX POUR LES TUER MIEUX ?
99

C'EST MARRANT, TU NE PARLES PAS COMME D'HABITUDE, MAIS ON COMPREND RIEN QUAND MÊME.
C'EST PARCE QU'IL ESSAIE L'HÉBREU. IL APPREND.
QU'EST-CE QU'IL A DIT ?

C'EST VRAI, QU'EST-CE QUE T'AS DIT ? MÊME MOI, JE TE COMPRENDS PLUS.
OH, ALLEZ VOUS FAIRE FOUTRE !

ON VIENDRA VOUS RELEVER VERS MIDI.
C'EST ÇA, CASSE-TOI.
HÉ ! LUI PARLE PAS COMME ÇA.

PERSONNE PANE RIEN À C'QUE J'RACONTE, ALORS J'PEUX BIEN ME LÂCHER UN PEU. BON. T'AS NIQUÉ QUI, CETTE NUIT ?
PERSONNE.

MON CUL ! T'ÉTAIS AVEC TSIPORAH !
NON ! JE TE JURE QUE C'ÉTAIT PAS TSIPORAH !
HAHA ! TU T'ES TRAHI !

T'AS NIQUÉ QUI ?
TA GUEULE !
100

EN TOUT CAS, J'ESPÈRE QUE T'AS PAS NIQUÉ CELLE QUI PARLE TOUT LE TEMPS, LÀ.
JE SAIS PAS DE QUI TU PARLES.
OH PUTAIN, C'EST ELLE !

C'EST ELLE, SALAUD ! T'AS BAISÉ LA FEMME DU GROS ! J'AIMERAIS PAS ÊTRE À TA PLACE QUAND IL L'APPRENDRA.
IL L'APPRENDRA PAS.

D'ACCORD, D'ACCORD. MOI CH'UIS RÉGLO, HEIN ?
N'EMPÊCHE...
J'AIMERAIS PAS ÊTRE À TA PLACE.

REMARQUE, ÇA DOIT ÊTRE UNE GROSSE COCHONNE...
AVEC SON CUL, LÀ, ET SES NICHONS, COMMENT ELLE DOIT ÊTRE BONNE !

QUAND TU LA NIQUES, TU DOIS VRAIMENT AVOIR L'IMPRESSION D'Y ÊTRE : ÇA BOUGE DE PARTOUT, LÀ, BOLOM ! BOLOM ! BOLOM !

ALLEZ, RACONTE, QUOI !
101

MAIS QU'EST-CE QU'ON SE FAIT CHIER ! JAMAIS Y A PERSONNE QUI PASSE SUR CETTE ROUTE.

REMARQUE, C'EST PAS PLUS MAL : J'AI PAS TROP ENVIE DE ME FAIRE FRITER LA GUEULE PAR LES ROMAINS.
OH, MOI, JE SUIS CONTENT D'AVOIR CHANGÉ DE CAMP.

ÇA Y EST ! MAINTENANT QU'IL BAISE DES JUIVES, IL VA NOUS FAIRE LE COUP DE LA GRANDE CAUSE DES PEUPLES OPPRIMÉS.
NON. ÇA, JE M'EN FOUS.

C'EST JUSTE QUE JE PRÉFÉRERAIS ÊTRE TORTURÉ PAR DES ROMAINS QUE PAR DES JUIFS.

LES ROMAINS, ILS TE FONT ÇA DE MANIÈRE DÉGUEULASSE, MAIS FROIDE. JE VEUX DIRE, C'EST LEUR BOULOT, C'EST LA LOI. TANDIS QUE L'AUTRE FANATIQUE, LÀ, JOSUÉ, IL SERAIT FOUTU DE TE CREVER LES YEUX EN FAISANT DES PRIÈRES.

OUI. MOI, CE QUE JE VOIS, C'EST QUE QUAND ON ÉTAIT ROMAINS, ON SE FAISAIT CHIER À MONTER LA GARDE ET MAINTENANT QU'ON EST JUIFS, ÇA CONTINUE.
102

JE NE DIS PAS QUE JE VAUX PLUS QUE TOI. MAIS CHACUN A SON RÔLE À TENIR. LE PEUPLE D'ISRAËL EST SEMBLABLE À LA FLAMME D'UNE VEILLEUSE. TOI, TU ES LA PARTIE BLEUE DU FEU.

C'EST SUR TOI QUE TOUT REPOSE. SUR TA FORCE ET TA CONSTANCE. MOI, JE SUIS LA FLAMME DANSANTE QUI...
ATTENDS.

ARRÊTE ! C'EST PAS CE QUE TU CROIS !

JE MONTAIS LA GARDE, J'AI VU LE GOSSE S'ENFUIR, IL COURAIT PLUS VITE QUE MOI, FORCÉMENT, AVEC MA BLESSURE, LE TEMPS DE LE RATTRAPER, ON ÉTAIT ICI.

OÙ IL EST ?
JUSTEMENT, IL EST ENTRÉ DANS CE PALAIS, LÀ-BAS. LE CUISINIER LUI A PROMIS À MANGER. J'ATTENDS QU'IL SORTE.

SI LE GOSSE N'EST PAS LÀ...
IL Y EST, JE T'ASSURE.
103

POURQUOI TE DONNES-TU TANT DE MAL POUR CE GOSSE ? TU VEUX SÉDUIRE MA SŒUR ?
ET TOI ? TOI, TU ES TOUJOURS APRÈS LUI DEPUIS QU'IL EST LÀ.
MOI, C'EST DIFFÉRENT.
JE SUIS SON AMI.

VOUS VOUS RENDEZ COMPTE ? LES ROMAINS FONT IMPORTER DES BANANES D'ÉLÉPHANTINE. PRENEZ-EN. JE VAIS FAIRE LA BÉNÉDICTION DES FRUITS NOUVEAUX.

ET UNE PRIÈRE POUR LES ROMAINS AUSSI. C'EST GRÂCE À EUX SI NOUS MANGEONS CES DÉLICES.
TU CONNAIS CE TRAÎTRE, ELIAOU ?
C'EST MON AMI.

ALLEEEZ, PRENDS UNE BANANE, QUOI !
PEUH !

ELIAOU, TU DEVRAIS EXPLIQUER À TON COPAIN QUE DIEU N'A JAMAIS PROHIBÉ LA CONSOMMATION DES BANANES.
VOILÀ LE GOSSE.

QUI EST AVEC LUI ?
LE CUISINIER. UN TRAÎTRE, LUI AUSSI.
104

VOUS ÊTES TOUS LÀ. C'EST BIEN. VOUS ALLEZ TOUS VENIR AVEC NOUS. MÊME LE BOUC.

JE VOUS PRÉSENTE MOSHÉ. IL M'A FRAPPÉ ET VOLÉ UN COUTEAU. ALORS SA MAÎTRESSE L'A PUNI. OUI. PARCE QUE MOSHÉ EST UN ESCLAVE.

COMME PUNITION, MOSHÉ DOIT M'EMMENER À JÉRUSALEM VOIR UN COMBAT DE GLADIATEURS.
NON. TU N'ASSISTERAS PAS À CES JEUX D'IDOLÂTRES.
SI !

LA DAME A DIT QU'IL Y AURA DES CROCODILES ET DES PETITS NAINS ET MÊME DES NÈGRES. JE VEUX VOIR LES NÈGRES SE BATTRE AVEC DES PETITS NAINS. J'Y VAIS ET VOUS VENEZ AUSSI.

ET TU TE DEMANDES POURQUOI JE VEUX ÉGORGER TOUS LES ROMAINS APRÈS ÇA.
BAH.

ÇA PEUT ÊTRE AMUSANT, DE VOIR LES NÈGRES SE BATTRE AVEC DES PETITS NAINS.
105

ILS CHERCHENT UN COLOSSE ET UN PETIT RABBIN MIRACULEUX. SI J'ÉTAIS À LA PLACE DE TES AMIS, JE ME FERAIS DU SOUCI.

NON.

TU RETOURNES AU FOND ET TU ATTENDS TON TOUR.
TSSS...

JE NE COMPRENDS PAS. CE SONT DES MESURES DE SÉCURITÉ EXCEPTIONNELLES.
MON FRÈRE ?
HM ?

QUE SAIS-TU SUR LES HOMMES QU'ILS RECHERCHENT ?
TOUT LE MONDE NE PARLE QUE DE ÇA.

UN BERGER ET UN COLOSSE. ILS ÉTAIENT SUR LES REMPARTS, CERNÉS PAR DEUX PATROUILLES. IL Y A EU UN MIRACLE. ILS ONT ÉCHAPPÉ AUX ROMAINS.

LE JOUR D'AVANT, LE BERGER S'ÉTAIT BATTU AVEC LES MARCHANDS SUR L'ESPLANADE DU TEMPLE. DEPUIS, LES SYNAGOGUES NE DÉSEMPLISSENT PAS ET IL Y A DE PLUS EN PLUS D'ATTENTATS CONTRE LES ROMAINS.
ET ILS N'ONT PAS RETROUVÉ CES DEUX HOMMES ?
ILS CONTINUENT À LES CHERCHER, EN TOUT CAS.

ÇA VA, VOUS POUVEZ PASSER.
ATTENDS.
107

SAIS-TU QU'UN JOUR, LE PROPHÈTE ÉLIE ENTRERA DANS LA VILLE ET QUE DIEU METTRA FIN AUX SOUFFRANCES D'ISRAËL ?

QU'EST-CE QU'IL RACONTE, CELUI-LÀ ?
LAISSE, C'EST UN DÉCONNEUR.

DIEU ENTENDRA LES SOUFFRANCES DE SON PEUPLE !
TU VAS LA BOUCLER ?

FRAPPE ! L'ÉTERNEL EST MON BOUCLIER.

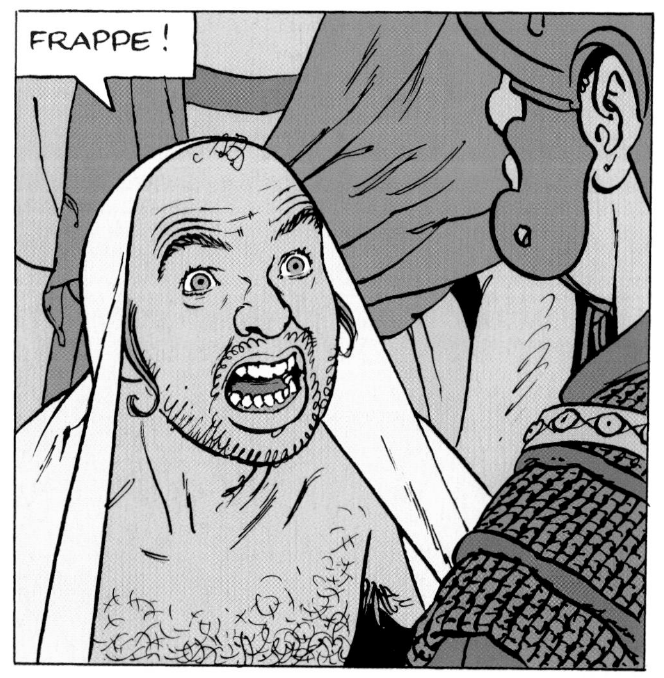
FRAPPE !

108

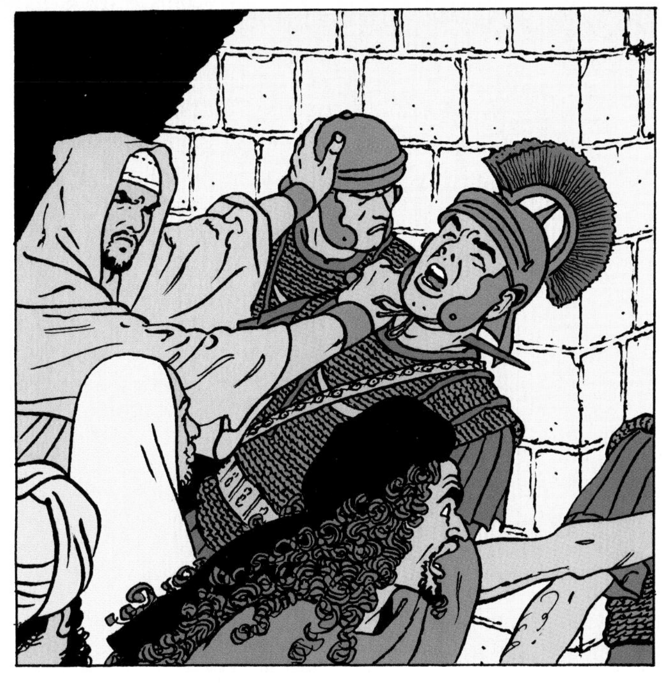

VIENS.

DES MALADES...
SI J'ÉTAIS L'EMPEREUR, JE LES CRUCIFIERAIS TOUS.

HÉ!
TE SAUVE PAS AVEC LE GOSSE, TOI.
VOUS VOUS ÊTES PAS FAIT ARRÊTER ?

FRAPPER FORT ET DISPARAÎTRE, C'EST NOTRE SPÉCIALITÉ.
MAINTENANT, TU NOUS EMMÈNES AU CIRQUE ET TU NOUS COUVRES.
109

HÉ !
JE VOUS CHERCHAIS.

ÇA A COMMENCÉ IL Y A LONGTEMPS ? VOUS DIREZ QUE J'ÉTAIS LÀ DEPUIS LE DÉBUT, HEIN ?
TU ÉTAIS OÙ ?
JE PARLAIS AVEC DES JUIFS.
ILS TE DISAIENT QUOI ?

ILS CROIENT QUE LE MESSIE ARRIVE.

MAIS LÂCHE-MOI !
IL Y A DES FEMMES NUES, TU NE DOIS PAS VOIR ÇA.

LE SANG, J'AI DROIT, ET LES FEMMES NUES, NON ? TOI, TU ES UN CON.

110

MYRIAM, C'EST TSIPORAH. JE PEUX ENTRER ?

NON. VA DANS TA TENTE, JE TE REJOINS.

DANS MA TENTE, DES GENS PEUVENT VENIR À TOUT MOMENT. JE DOIS TE PARLER DISCRÈTEMENT.

TOI, TU TE METS LÀ-DESSOUS ET TU NE BOUGES PAS.
TU NE RESPIRES MÊME PAS.

ALORS, QU'EST-CE QUE TU VEUX ?
JE SUIS INQUIÈTE POUR LE PETIT. IL FAUT QUE TU FASSES UN SORT POUR LUI.
ET C'EST SEULEMENT POUR ÇA QUE TU VIENS ME VOIR DANS LE PLUS GRAND SECRET ?
OUI.
MON CUL ! ENTRE.

J'AIME UN HOMME.
AAAH BIN VOILÀ !

MYRIAM, ON PEUT FAIRE QUOI, PRÉCISÉMENT, AVANT LE MARIAGE ?
SELON NOS LOIS ?
NON. SANS QUE ÇA SE VOIE.
TOUT.

MAIS LE PLUS SIMPLE, CE NE SERAIT PAS DE TE MARIER ?
NON.
BON. DANS CE CAS, IL Y A DEUX OU TROIS CHOSES À SAVOIR.

LA PREMIÈRE, LA PLUS IMPORTANTE, C'EST QUE TU NE DOIS DONNER À L'HOMME L'INITIATIVE DE RIEN. TU PRENDS SA QUEUE ET C'EST TOI QUI DÉCIDES CE QUE TU EN FAIS ET COMMENT TU JOUES AVEC. ET SI TU T'Y PRENDS BIEN, IL SERA SÛR DE T'AVOIR VRAIMENT BAISÉE.

MAIS SI, PAR EXEMPLE, JE LE PRENDS DANS MA BOUCHE, EST-CE QUE JE PEUX ÊTRE ENCEINTE ?
NON. ET DANS TON CUL NON PLUS, BÉCASSE.

LA DEUXIÈME CHOSE ET ÇA, C'EST VRAIMENT DIFFICILE, C'EST QUE TU DOIS FAIRE CROIRE À L'HOMME QU'IL A L'INITIATIVE DE TOUT. IL FAUT MÊME QU'IL CROIE QUE TU T'Y PRENDS UN PEU MAL. PARCE QUE SINON IL POURRAIT S'IMAGINER QUE TU AS DE L'EXPÉRIENCE ET LES HOMMES DÉTESTENT ÇA.
POURQUOI ?

PARCE QU'ON LEUR FAIT PEUR ET QU'ILS AIMENT BIEN S'IMAGINER QU'ILS ONT DES CHOSES À NOUS APPRENDRE.
MOI, J'AI TOUT À APPRENDRE.
VOILÀ. C'EST PARFAIT.
112

MAIS SI JE M'Y PRENDS MAL, S'IL N'A PAS DE PLAISIR AVEC MOI ?
C'EST ENCORE MIEUX. IL SERA FOU AMOUREUX.
POURQUOI ?

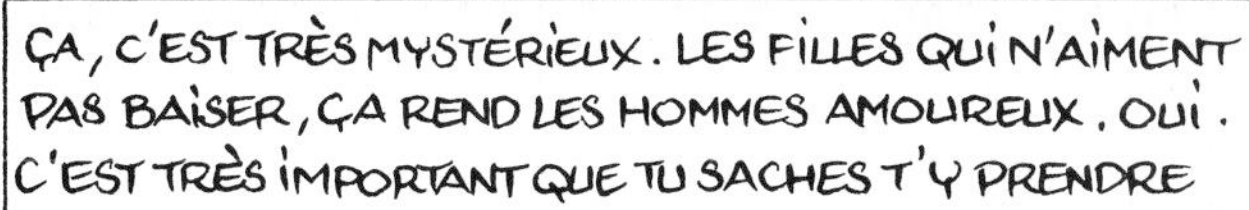
ÇA, C'EST TRÈS MYSTÉRIEUX. LES FILLES QUI N'AIMENT PAS BAISER, ÇA REND LES HOMMES AMOUREUX. OUI. C'EST TRÈS IMPORTANT QUE TU SACHES T'Y PRENDRE UN PEU MAL.

PAR EXEMPLE, QUAND TU LE SUCERAS, IL FAUDRA QU'À UN MOMENT TU LE MORDES UN PEU.
D'UN COUP ?

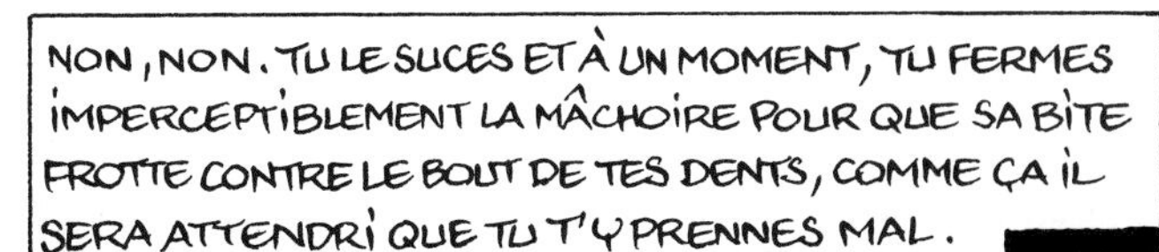
NON, NON. TU LE SUCES ET À UN MOMENT, TU FERMES IMPERCEPTIBLEMENT LA MÂCHOIRE POUR QUE SA BITE FROTTE CONTRE LE BOUT DE TES DENTS, COMME ÇA IL SERA ATTENDRI QUE TU T'Y PRENNES MAL.

ÇA NE PEUT PAS LE DÉGOÛTER S'IL ME VOIT NUE ?
ABSOLUMENT PAS.
PARCE QUE J'AI UN SEIN PLUS PETIT QUE L'AUTRE, REGARDE. TU N'AS PAS QUELQUE CHOSE POUR CE SEIN ?
IDIOTE ! IL NE VERRA RIEN.

MYRIAM, ÇA MET COMBIEN DE TEMPS, UN HOMME, POUR CICATRISER ?
CICATRISER ?
APRÈS UNE CIRCONCISION.
113

PUTAIN, MAIS QU'EST-CE QU'IL FOUT ?

OH NON !

VA-T'EN !

VA-T'EN ! Y A RIEN
À VOIR PAR ICI.

PFOUH !
114

C'EST COMME SI TU ESSAYAIS DE REMPLIR TON SAC AVEC DE LA NOURRITURE POUR SIX MOIS.

AU DÉBUT, TU TE DIS : "JE VAIS ACCUMULER DES PROVISIONS POUR LES SIX PROCHAINS MOIS ET GRÂCE À ÇA, JE N'AURAI PLUS À M'INQUIÉTER. ET JE MARCHERAI LE CŒUR LÉGER, SANS CRAINDRE L'AVENIR".

ET AU LIEU D'AVOIR LE CŒUR LÉGER, TU TE RETROUVES AVEC UN SAC TROP LOURD À PORTER ET DE LA BOUFFE RANCE AU BOUT D'UNE SEMAINE.
JE NE VOIS PAS LE RAPPORT AVEC ISRAËL.

LE RAPPORT, C'EST QUE VOUS, LES ZÉLOTES, VOUS ÊTES STUPIDES À VOUS DEMANDER QUELLE TERRE LAISSER POUR VOS DESCENDANTS. VOUS DEVRIEZ PLUTÔT RÉFLÉCHIR À L'ENDROIT OÙ VOUS SOUHAITEZ VIVRE, VOUS, AUJOURD'HUI.

OÙ VEUX-TU VIVRE ?
DANS LA TERRE D'ISRAËL.
PEUX-TU L'HABITER TOUTE ENTIÈRE À TOI TOUT SEUL ?
MON PEUPLE LE PEUT.

NON. TU DOIS TE DEMANDER CONCRÈTEMENT OÙ TU VEUX VIVRE. LA RÉPONSE N'EST PAS "EN ISRAËL". ISRAËL EST UNE ABSTRACTION. TU DOIS TE DEMANDER OÙ TU VEUX VIVRE. ÇA VEUT DIRE SUR QUELLE PIERRE, DANS QUELLE VALLÉE. ET LÀ, IL Y A DE LA PLACE POUR LES ROMAINS ET TOI.
115

QUEL MONDE LÉGUERONS-NOUS AUX GÉNÉRATIONS FUTURES, SI ON T'ÉCOUTE ?
AVEC UN EXCITÉ DANS TON GENRE, CE N'EST PAS ÇA, LA QUESTION IMPORTANTE.

C'EST QUOI, ALORS ?
LA QUESTION, C'EST QUELLES GÉNÉRATIONS LAISSERAS-TU AU MONDE FUTUR ?

ÉCOUTE DES GENS COMME LUI ET DANS CINQUANTE ANS, IL N'Y A PLUS DE JUIFS.

JE VOUS SIGNALE QUE LE GOSSE A DISPARU.

OÙ EST-IL PASSÉ ?
JE NE SAIS PAS. VOUS PARLIEZ COMME DES CONS. MOI, JE REGARDAIS LES JEUX. J'AI RIEN VU.

LÀ-BAS, DANS L'ARÈNE.
NON, C'EST UN NAIN.
NON.
116

DANS LE GROUPE DE NAINS QUI SORT PAR LE FOND.

GAMALIEL !

HÉ !
MH ?

IL Y A UN GLADIATEUR AVEC UN MASQUE. UN MAIGRE QUI NE SE BAT PAS. IL EST AVEC UN AUTRE TRÈS FORT AVEC UN TRIDENT. JE VEUX LES VOIR.
?
117

JE SUIS DE LA MAISON DU PRÉFET ÉMILE. VOICI SON SCEAU. MA MAÎTRESSE VOUDRAIT FÉLICITER LES COMBATTANTS.

MAIS CERTAINEMENT. SOUHAITEZ-VOUS UNE ESCORTE ?
C'EST NOUS, SON ESCORTE.

CELLE-LÀ, ELLE EST TELLEMENT EMMAILLOTÉE QU'ON VOIT RIEN.
ÇA DOIT ÊTRE LA FEMME DU PRÉFET.
NON. LA FEMME DU PRÉFET, ELLE ÉTAIT LÀ HIER.
ET ALORS ?

CHAIS PAS CE QU'ELLES ONT, AVEC LES GLADIATEURS. LES PRÉTORIENS, C'EST TOUT DE MÊME PAS DE LA DAUBE, NON ?
C'EST PARCE QU'ELLES NOUS VOIENT JAMAIS NOUS BATTRE. T'AURAIS ENVIE DE TE FAIRE METTRE PAR UN PORTIER, TOI ?
NON.

TU VOIS, LE PROBLÈME, C'EST ÇA : NOUS, QUAND ON FAIT LA GUERRE, LES FEMMES NOUS VOIENT PAS. ELLES NOUS VOIENT JUSTE FAIRE LES PORTIERS.
TSSS...
118

MYRIAM ! MYRIAM ! JE CROIS QUE J'ACCOUCHE !

HOULALA !
POURQUOI TU N'ES PAS RESTÉE DANS TA TENTE ? IL FALLAIT APPELER !
J'AI APPELÉ, PERSONNE N'ENTENDAIT.

NON ! LAISSE LE MATELAS !
QUOI ?
ON VA LA FAIRE ACCOUCHER ASSISE.

DANS CE COIN-LÀ, C'EST MIEUX.
ASSISE ?
OUI. COMME LES ÉGYPTIENNES.

PEUT-ÊTRE QU'IL NE VIENT PAS. PEUT-ÊTRE QUE JE DEVRAIS RENTRER ATTENDRE.
NON.

IL EST LÀ. DONNE TA MAIN. ON PEUT DÉJÀ TOUCHER SES CHEVEUX. SOUFFLE. SOUFFLE.

POUR AÉRER, PEUT-ÊTRE ?

ÉCOUTE, J'EN SAIS RIEN. MAIS TANT QU'IL Y AVAIT DU MONDE DANS LA TENTE, JE NE POUVAIS PAS ME TIRER.

OH ! ÇA, C'EST ÉNORME ! BRAVO !

JOLI CUL, BONNE TECHNIQUE .

121

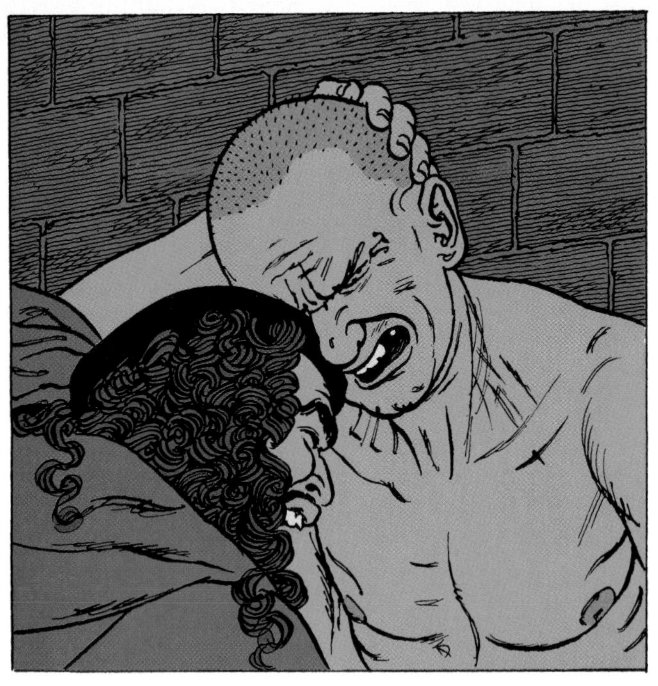

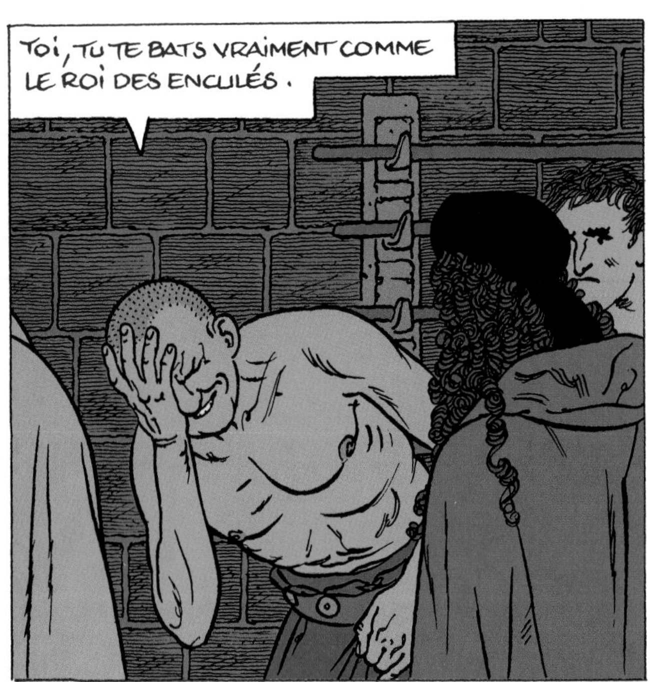
TOi, TU TE BATS VRAiMENT COMME LE ROi DES ENCULÉS.

VOYONS CE QUE TU SAIS FAIRE AVEC UNE LAME.

ALLEZ ! PRENDS UNE ÉPÉE.
METS-TOi EN GARDE.

122

TU ES ALLÉ UN PEU TROP LOIN, MON AMI.
TENEZ-LE, QUE JE L'ÉVENTRE.

INGRAT. MON AMI T'ENSEIGNE DE NOUVELLES TECHNIQUES MARTIALES ET TU VEUX LE VOIR MOURIR ?
LE COUP DE PIED DANS LES COUILLES, C'EST UNE NOUVELLE TECHNIQUE ?

C'EST UNE INFIME PARTIE DE L'ART GUERRIER DES GENS DU DÉSERT. NOUS POUVONS VOUS L'ENSEIGNER, ÇA PEUT VOUS SERVIR.

D'ACCORD. MONTRE-MOI.
NON. PAS MOI. MOI, JE SUIS LE MESSIE. JE N'AI PAS LE DROIT DE ME BATTRE.

DIEU M'A MIS SUR TERRE POUR RÉPANDRE L'AMOUR. MES MEMBRES NE SAURAIENT VERSER LE SANG. LUI, IL VA TE MONTRER.

NON. ON CHERCHE UN GAMIN. IL S'EST TAILLÉ AVEC LES NAINS.
AH. CE SONT DES TECHNIQUES SECRÈTES, IL NE VEUT PAS LES ENSEIGNER AUX NON-INITIÉS.
VAS-Y, ELIAOU, MONTRE-LUI.
123

ALLEZ ! QUELLE EST TON ARME FAV... ?

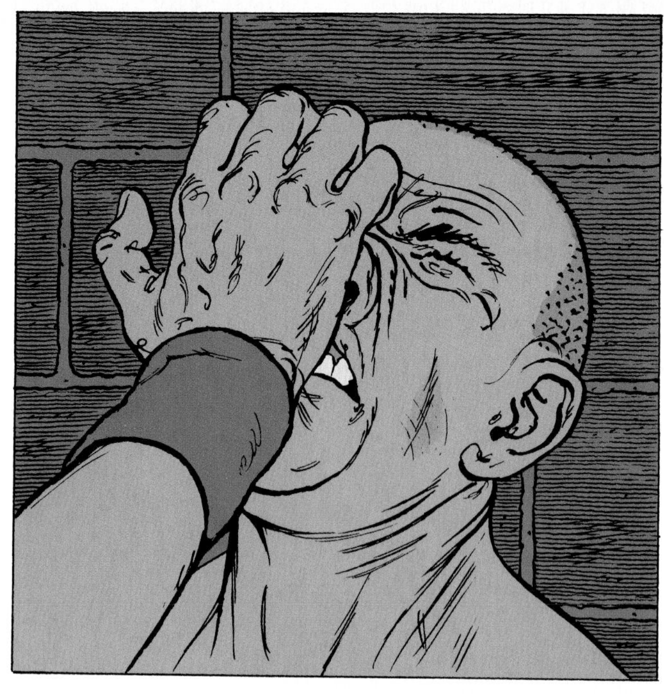

TROIS SUR LUI !

RÂÂÂÂÂ !
TU VOIS, IL ATTAQUE AVANT D'ÊTRE ATTAQUÉ.

QUAND IL EST CONTRE PLUSIEURS TYPES, IL EN CHOISIT UN, LE PLUS PETIT, ET IL LE MASSACRE.

ÇA NE L'EMPÊCHE PAS DE PRENDRE DES COUPS, MAIS IL SAIT QU'AU MOINS UN TYPE SE SOUVIENDRA DE LUI.
124

AH, ÇA, C'EST ESSENTIEL. TOUT OBJET EST UNE ARME.

IL VA TOUT UTILISER, TABLE, CHAISE ET MÊME LE CORPS DE L'ADVERSAIRE. LA DERNIÈRE CHOSE QUI L'INTÉRESSE, C'EST D'ABÎMER SES MAINS ET SES PIEDS.
C'EST MOCHE.

IL S'EN FOUT QUE ÇA SOIT BEAU. SON BUT, C'EST QUE L'ADVERSAIRE SOIT AU SOL LE PLUS VITE POSSIBLE, MORT DE PRÉFÉRENCE.

VOUS, DANS L'ARÈNE, VOUS FAITES DURER. MAIS DANS LA VIE, LA BAGARRE, ÇA DOIT ALLER TRÈS VITE.

ET D'OÙ TU SAIS TOUT ÇA, TOI ?
JE L'AI LU. JE CONNAIS AUSSI BEAUCOUP DE CHOSES SUR LA MUSIQUE ET LES TECHNIQUES AGRICOLES.

ET JE PARIE QUE TU NE SAIS NI JOUER D'UN INSTRUMENT, NI TIRER UNE CHARRUE.
ÉVIDEMMENT.
125

TU ES LÀ, TOI ? TU PEUX DIRE QUE TU NOUS AS FAIT COURIR.
SALUT, MOSHÉ.
JE TE PRÉSENTE SAMED ET CROCODILE.

DE LOIN, JE CROYAIS QUE C'ÉTAIT LE COPAIN DE MON PAPA ET EN FAIT, NON. ET LE VIEUX, JE CROYAIS QUE C'ÉTAIT MON PAPA, PARCE QU'ON NE VOYAIT PAS SA TÊTE ET QU'IL NE SE BATTAIT PAS.

JE NE ME BATS PAS PARCE QUE JE SUIS TROP VIEUX. MON FILS ME PROTÈGE.
COMMENT AS-TU PU PRENDRE UN NOIR POUR TON PÈRE ?
LE SOLEIL.

JE PEUX GOÛTER ?
OUI, MAIS ATTENTION, ÇA N'EST PAS DE LA NOURRITURE POUR LES ROMAINS.
C'EST TRÈS ÉPICÉ.

MOI J'AIME QUAND ÇA PIQUE PARCE QUE JE SUIS JUIF, ET CHEZ LES JUIFS, ON AIME LE MANGER PIQUANT.

VOUS METTEZ QUOI, LÀ-DEDANS ?
ÇA T'INTÉRESSE, NOTRE CUISINE ?
JE SUIS CUISINIER.
126

ÇA C'EST PASSIONNANT, UN CUISINIER. EST-CE QUE TU SAIS FAIRE DU CACHER ?
ALORS EXPLIQUE-NOUS.
TOUT LE MONDE SAIT FAIRE ÇA PAR ICI.

NON. C'EST COMPLIQUÉ. ET ÇA N'EST PAS TRÈS INTÉRESSANT. D'AILLEURS, MOI, JE NE MANGE PAS CACHER. JE CUISINE COMME LES ROMAINS.
ÇA, ON CONNAÎT. RACONTE LE CACHER.

BON. C'EST SIMPLE. À CHAQUE FOIS QU'ON POURRAIT SE BAISSER, RAMASSER UN ALIMENT ET LE MANGER, IL Y A UNE RÈGLE CACHÈRE QUI VIENT TE GÂCHER LA VIE.
PAR EXEMPLE, VOUS N'AVEZ PAS LE DROIT DE CUEILLIR DES FRUITS ?
OH, SI.

MAIS ON VA PAS LE FAIRE SIMPLEMENT. IL VA Y AVOIR TOUT UN PATAQUÈS AVEC DES RUBANS AUTOUR DES RAMEAUX ET TOUT ÇA.
POURQUOI ?
POUR FAIRE CHIER.
NON !

C'EST PAS COMME ÇA ! ON MANGE CACHER PARCE QU'ON N'EST PAS DES ANIMAUX.
N'IMPORTE QUOI ! UNE VACHE, TU LUI DONNES UNE VIANDE CACHÈRE, ELLE LA BOUFFE.
LES VACHES, ÇA MANGE PAS DE VIANDE, HA ! HA !

TOI, TU CONNAIS BIEN LE CACHER, AUSSI ?
MIEUX QUE LUI. LUI, IL A DES PUSTULES SUR LA LANGUE, COMME LES ÉCLAIREURS QU'AARON A ENVOYÉS VERS LA TERRE D'ISRAËL ET QUI N'ONT VU QUE SES MAUVAIS CÔTÉS.
-127

TIENS, ET ALORS, C'EST QUOI LES BONS CÔTÉS DE MANGER CACHER ? EXPLIQUE, TOI QUI SAIS.
C'EST BIEN PARCE QUE TU RÉFLÉCHIS À CE QUE C'EST, MANGER.
MOI, SOIT JE MANGE, SOIT JE RÉFLÉCHIS.

C'EST BIEN, PARCE QUE CHAQUE CHOSE QU'ON DOIT FAIRE OU PAS, ÇA T'APPREND UNE LEÇON. ALORS MÊME SI TU N'AS PAS UN LIVRE OU UN PARENT, RIEN QU'EN MANGEANT, TU APPRENDS.
TU APPRENDS À PÉTER LES COUILLES, OUI.

DIS-NOUS UNE LEÇON DU CACHER.
PAR EXEMPLE, ON NE MANGE PAS DU LAIT ET DE LA VIANDE ENSEMBLE.
POURQUOI ?
PARCE QUE C'EST INDIGESTE.

LES JUIFS DU DÉSERT TIENNENT À CES RÈGLES, C'EST PRESQUE DE LA MÉDECINE, POUR EUX.
PAS DU TOUT. ON NE MANGE PAS LE LAIT ET LA VIANDE PARCE QU'IL EST ÉCRIT : "TU NE MANGERAS PAS LE CHEVREAU DANS LE LAIT DE SA MÈRE."

OH, QUE C'EST MIGNON, ILS NE VEULENT PAS ÊTRE CRUELS AVEC LES PETITS ANIMAUX. MAIS QUAND ILS SONT MORTS, ILS SONT MORTS, TU SAIS.
ÇA N'A RIEN À VOIR. "TU NE MANGERAS PAS LE CHEVREAU DANS LE LAIT DE SA MÈRE", C'EST UN MESSAGE SECRET.

OUI. NOUS AUSSI, NOUS DISONS DES CHOSES SEMBLABLES. DES RÈGLES QUI VOUS GUIDENT PARTOUT. "TU NE MANGERAS PAS LE CHEVREAU DANS LE LAIT DE SA MÈRE." JE COMPRENDS.
TU COMPRENDS CE QUE ÇA VEUT DIRE ?
NON, NON. ÇA, ÇA VOUDRAIT DIRE QUE JE N'AI PAS COMPRIS.
QU'EST-CE QUE TU COMPRENDS, ALORS ?
128

MON FILS, DÈS AUJOURD'HUI, NOUS ALLONS MANGER CACHER.
MAIS EST-CE QUE NOS DIEUX NE VONT PAS ÊTRE JALOUX SI ON SUIT LE DIEU DES JUIFS ?
ON NE SUIT PAS LE DIEU DES JUIFS, ON MANGE CACHER, C'EST TOUT.
BON.

TU VEUX BIEN, PETIT, RESTER AVEC NOUS LE TEMPS DE NOUS APPRENDRE TA FAÇON DE TE NOURRIR ?
ET QU'EST-CE QUE VOUS M'APPRENDREZ, VOUS, EN ÉCHANGE ?
QU'EST-CE QUE TU VOUDRAIS SAVOIR ?

LES ANIMAUX. JE VEUX PARLER AUX ANIMAUX.
HAHAHA ! TU VEUX PAS AUSSI TE METTRE UN DOIGT DANS LE CUL ET QUAND TU LE RETIRES, TU T'ENVOLES ?
HAHA !

TU AS DE LA CHANCE, MON PAPA CONNAÎT TRÈS BIEN LES ANIMAUX. SURTOUT CEUX DES FLEUVES.
MOI, JE VEUX PARLER AUX SERPENTS.
LE SERPENT, C'EST UN ANIMAL TRÈS DIFFICILE. TRÈS DANGEREUX.

JE CONNAIS UNE PERSONNE QUI VIT AU DÉSERT ET QUI CONNAÎT LES SERPENTS. ENSEIGNE-MOI LE CACHER ET JE TE MÈNERAI À ELLE.
JE LA CONNAIS, TA PERSONNE, C'EST ADAM HARISHON ET C'EST LE PREMIER HOMME.
NON.

MA PERSONNE À MOI, C'EST UNE FEMME ET ELLE EST À PEINE PLUS VIEILLE QUE TOI.
COMMENT ELLE S'APPELLE ?
ON NE DIT PAS LE NOM DES GENS COMME ÇA À VOIX HAUTE.
À L'OREILLE, ALORS.
129

GAMALIEL !
AH, VOILÀ MON COPAIN JOSUÉ. LUI, IL S'Y CONNAÎT TRÈS TRÈS BIEN EN CACHER.

QU'EST-CE QUE TU FAIS AVEC CES GENS-LÀ ? ÉCARTE-TOI, SINON TU VAS DEVENIR NOIR COMME EUX !
MAiiiiiis !

FAIS VOIR TA BOUCHE... TU AS MANGÉ DANS LEUR ASSIETTE ?... TU ES FOU !?
LAISSE-MOI TRANQUILLE !

ET SI TU MANGES DU COCHON, JE DOIS TE LAISSER FAIRE AUSSI ? TU CROIS QUE CE SERAIT BIEN, DE MA PART, SI JE TE LAISSAIS COMMETTRE DES PÉCHÉS ?
VOILÀ. LUI, IL MANGE STRICTEMENT CACHER.

J'AI LE DROIT DE MANGER AVEC EUX, CE SONT MES AMIS ET LEUR MANGER. C'EST CACHER. C'EST DU BLÉ ET DU POISSON ET DES PIMENTS. LAISSE-MOI.
NON. TU NE SAIS PAS COMMENT ILS CUISINENT, TU NE SAIS PAS EXACTEMENT QUEL POISSON ILS ONT PRIS !
TOUTES CES RÈGLES PERMETTENT À MES CORELIGIONNAIRES D'INTERDIRE À LEURS ENFANTS DE MANGER AVEC DES ÉTRANGERS.
C'EST VRAI ?

N'EST-CE PAS QUE TU N'AS PAS LE DROIT DE PARTAGER LE REPAS D'UN NON-JUIF ?
QU'EST-CE QUE TU RACONTES ? C'EST FAUX.
ASSIEDS-TOI, ALORS.
-130

LE PLAT, IL N'Y TOUCHERA PAS. IL NE SAIT PAS EXACTEMENT COMMENT ÇA A ÉTÉ PRÉPARÉ.
PEUT-ÊTRE QUE TU VOUDRAIS UN PEU DE VIN ?
NON.

POURQUOI TU NE VEUX PAS DE VIN ?
LA BOUTEILLE EST DÉJÀ DÉBOUCHÉE, ON A PU METTRE QUELQUE CHOSE DE PAS CACHER DEDANS.
BON. JE VAIS EN DÉBOUCHER UNE AUTRE.
JE N'EN BOIRAI PAS.

POURQUOI ? JE SUIS AUSSI JUIF QUE TOI. TU PEUX ME FAIRE CONFIANCE.
NON. TU NE CRAINS PAS DIEU. UN JUIF QUI NE CRAINT PAS DIEU, QUI NE RESPECTE PAS LE SHABBAT, ON NE PEUT PAS LUI FAIRE CONFIANCE.
HÉ BIN, C'EST JOLI, TIENS.

C'EST LOGIQUE. SI TU N'AS PAS PEUR DE DIEU, TU PEUX ME PROMETTRE QUE C'EST CACHER ET, EN FAIT, ÇA SERA UN MENSONGE.
ET SI C'EST L'ENFANT QUI DÉBOUCHAIT LA BOUTEILLE ? TU LUI FAIS CONFIANCE, À LUI.
INUTILE.

QUOI ? ON NE DOIT PAS FAIRE CONFIANCE AUX ENFANTS NON PLUS ?
ÇA N'EST PAS ÇA. POUR QUE JE BOIVE, IL FAUDRAIT QUE CES DEUX-LÀ QUITTENT LA TABLE.
POURQUOI ?

PARCE QU'IL EST INTERDIT DE CONSOMMER DE L'ALCOOL À LA TABLE D'UN ÉTRANGER. NOTRE LANGUE POURRAIT SE DÉLIER ET ON TRAHIRAIT SANS LE VOULOIR DES SECRETS MILITAIRES.
ET VOILÀÀÀ... À PART ÇA, TU AS LE DROIT DE MANGER AVEC LES ÉTRANGERS.
À PART ÇA, OUI.
131

TU ES VRAIMENT UN MYSTÈRE, ÉLIAOU. DEPUIS QUE JE TE CONNAIS, J'ESSAIE DE GAGNER TON AMITIÉ ET TU ME FAIS LA GUEULE, ET CEUX-LÀ, TOUT DE SUITE, TU LEUR TOMBES DANS LES BRAS, UNIQUEMENT PARCE QU'ILS T'ONT CASSÉ LA GUEULE.
HAHA! ON A BIEN RIGOLÉ.
HUHU!
RIGOLER, POUR TOI, C'EST LA BAGARRE?
OUI.

TIENS, C'EST NOTRE CHEF QUI ARRIVE. AVEC LA DROITE QUE T'AS, IL VA T'ADORER.
JE PRÉFÉRERAIS NE PAS ME FAIRE REMARQUER.

T'EN FAIS PAS: LUI, IL POSE JAMAIS DE QUESTION. TU SAIS TE BATTRE, IL T'AIME.
OHÉ, PATRON, VENEZ VOIR MON COPAIN!
C'EST UNE BRUTE.
ÇA VA ÊTRE UTILE.

RASSEMBLEMENT! JE VEUX TOUT LE MONDE DANS LA COUR AVEC ARMES ET ARMURES!

IL VA Y AVOIR QUOI, UN ENTRAÎNEMENT?
OH NON, ÇA, C'EST PAS UN ENTRAÎNEMENT.
ÇA, CE N'EST PAS BON.

VIENS, ON VA TÂCHER DE RETROUVER LES AUTRES.
132

Vous ! Qu'est-ce que vous foutez là ?

AU FEU ! COMME TOUT LE MONDE !

AU FEU ?
IL DOIT Y AVOIR UN INCENDIE À ÉTEINDRE OU UN TRUC DANS LE GENRE. LE PETIT N'A QU'À RESTER LÀ, AVEC LES NAINS ; IL SERA EN SÉCURITÉ.
C'EST MOI QUI DÉCIDE CE QUE FAIT LE GOSSE.

GAMALIEL, IL VA Y AVOIR UN FEU, ÇA VA ÊTRE DANGEREUX. RESTE ICI AVEC LES NAINS ET NE TE FAIS PAS VOIR AVANT QU'ON REVIENNE.

HÉ ! NON ! JE VAIS AVEC VOUS !
133

RESTE LÀ, PETIT. JE NE SAIS PAS CE QUE TU FAIS ICI MAIS LÀ OÙ ILS VONT, UN ENFANT N'A PAS SA PLACE.
SI TU RESTES ICI JUSQU'À CE QUE ÇA SE CALME, TOUT IRA BIEN. LES NAINS, ON NE LES ENVOIE JAMAIS POUR CE GENRE D'OPÉRATION.

VOUS ÊTES TROP PETITS POUR ÉTEINDRE UN FEU ?
HA! HA! POUR CE GENRE DE FEU, ILS PRÉFÈRENT DES GRANDS TRÈS IMPRESSIONNANTS.

C'EST QUOI, COMME FEU ?
C'EST DES RÉVOLTES.

QUAND LES GENS NE SONT PAS CONTENTS, ILS SORTENT DANS LA RUE ET ILS JETTENT DES PIERRES, TOUT ÇA. ALORS, EN GÉNÉRAL, ON ENVOIE LES SOLDATS ET ÇA SUFFIT POUR LES CALMER.

MAIS PARFOIS, QUAND C'EST TRÈS GRAVE ET QU'IL N'Y A PAS ASSEZ DE SOLDATS, ON PREND TOUS LES HOMMES DISPONIBLES ET LES GLADIATEURS VONT AIDER LES SOLDATS.

MAIS LES NAINS, ON NE LES PREND JAMAIS ?
HAHA ! NON. ET C'EST BIEN LE SEUL MOMENT OÙ ON NOUS FICHE LA PAIX !
134

ALLEZ, LÀ-DEDANS AUSSI, EN ARMES, EN ARMURE ET ON SE DÉPÊCHE !

VOUS NOUS ENVOYEZ FAIRE QUOI, LÀ, EXACTEMENT ?
TU FERMES TA GUEULE ET TU FAIS VITE !

METS UNE ARMURE, IL NE FAUT PAS QU'ILS TE TROUVENT LÀ.
JE VEUX PAS Y ALLER.

JE VAIS TE PROTÉGER. ET DÈS QU'ON POURRA TE LAISSER EN SÉCURITÉ QUELQUE PART, ON LE FERA, MAIS TU NE PEUX PAS RESTER ICI.
ON VA OÙ ?
JE SAIS PAS.

JE PEUX PAS METTRE L'ARMURE !
CALME-TOI, DU CALME, JE VAIS T'AIDER.

JE VEUX FAIRE PIPI.
TU PEUX PAS. RESTE À CÔTÉ DE MOI.
135

NE T'EN FAIS PAS POUR GAMALIEL, IL EST EN SÉCURITÉ AVEC LES NAINS.

LES NAINS ? MAIS LES NAINS, ILS SONT LÀ-BAS, REGARDE !

C'EST LE CUISINIER QUI A EU CETTE IDÉE-LÀ.
HÉ !

OÙ TU VAS, TOI ?
DANS LE RANG, VITE !

TOUT VA POUR LE MIEUX, MES AMIS.

LE PEUPLE D'ISRAËL SE RÉVEILLE.
ET ALORS ?
C'EST BON POUR MON PROJET.
136

ALLONS, MARCHE !

C'EST LOURD, L'ARMURE, ET AVEC LE CASQUE, JE VOIS RIEN.
VIENS.

TU DOIS RESTER AVEC MOI, QUOI QU'IL ARRIVE.

137

Joann Sfar + Emmanuel Guibert. A suivre.